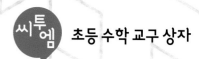
초등 수학 교구 상자

공간감각을 길러주는
입체 폴리오미노 보드 게임

Poly Square

폴리스퀘어

A

Creative to Math
씨투엠

차 례

"꿈꾸는 아이들을 위한 교육 사다리"

논리와 재미, 즐거운 수학 교육을 위한 최고의 콘텐츠를 만들겠습니다

- 법인명: ㈜씨투엠에듀(C2MEDU corp.)
- CEO: 한헌조
- 창립연도: 2014년 10월
- 홈페이지: www.c2medu.co.kr

폴리오미노

폴리오미노

폴리오미노(Polyomino)는 정사각형 여러 개를 변끼리 이어 붙여 만든 도형입니다. 폴리오미노는 정사각형을 붙인 개수에 따라 다른 이름으로 불리는데 정사각형 1개인 도형을 모노미노(Monomino), 정사각형 2개를 이어 붙인 도형을 도미노(Domino), 3개를 이어 붙인 도형을 트로미노(Tromino), 4개를 이어 붙인 도형을 테트로미노 (Tetromino), 5개를 이어 붙인 도형을 펜토미노(Pentomino)라고 합니다.

폴리(Poly)란 '많은 것'을 의미하기 때문에 정사각형 1개짜리인 모노미노는 폴리오미노가 아니지만 일반적으로 폴리오미노에 포함시킵니다.

모노미노, 도미노, 트로미노, 테트로미노, 펜토미노 등의 이름은 고대 그리스어에서 수를 나타내는 단위에 '조각', '덩어리'라는 뜻의 '미노(mino)'를 붙여 만든 단어로 하버드 대학교의 솔로몬 골룸(Solomon W. Golomb) 박사가 수학 강의 시간에 처음 사용하였습니다.

폴리오미노 탐구 1

✖ 반듯한 네모 모양 여러 개를 이어 붙인 조각들이 있습니다. 입체 폴리오미노 조각 중에서 똑같은 모양의 조각을 찾아 그림 위에 놓아 보세요.

반듯한 네모 모양 **1**개인 모노미노

반듯한 네모 모양 **2**개를 이어 붙인 도미노

반듯한 네모 모양 **3**개를 이어 붙인 트로미노

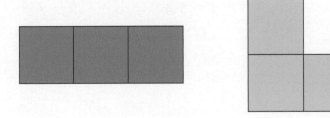

반듯한 네모 모양 **4**개를 이어 붙인 테트로미노

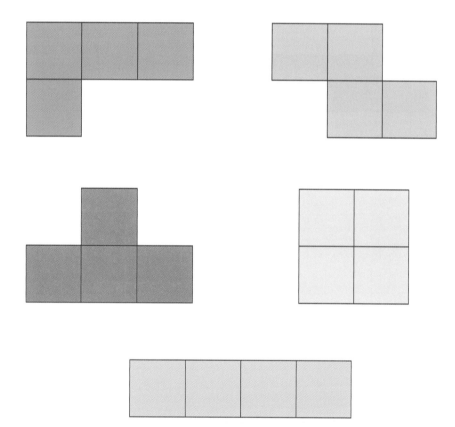

네모 모양을 몇 개 이어 붙였는지 세어 보고 알맞은 조각을 찾아봐.

폴리오미노 탐구 2

✂ 반듯한 네모 모양 **5**개를 붙인 펜토미노 조각들이 있습니다. 입체 폴리오미노 조각 중에서 똑같은 모양의 펜토미노 조각을 찾아 그림 위에 놓아 보세요.

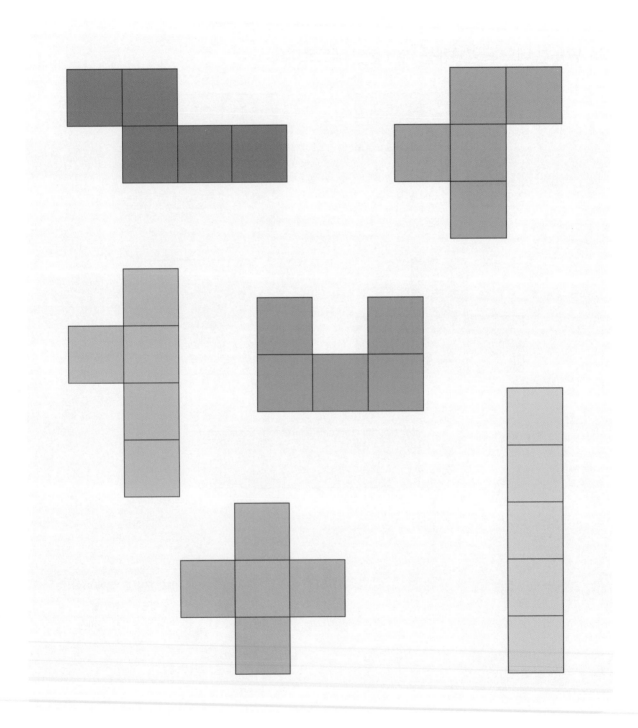

조각을 이리저리 돌리거나 뒤집어 가며 모양에 꼭 맞게 놓아 봐.

보석 감추기

✂ 주어진 펜토미노를 겹치지 않고 칸에 맞추어 놓아 보석을 모두 감추려고 합니다. 알맞게 스티커를 붙여 보석을 모두 감추어 보세요.

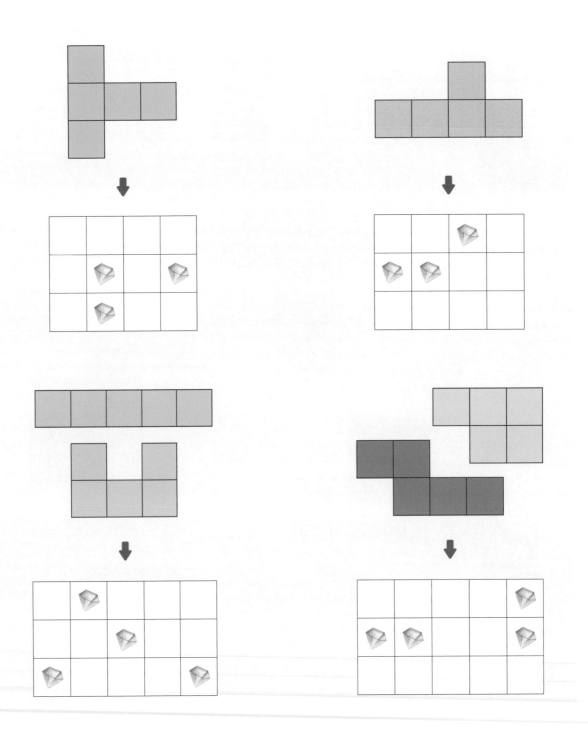

02 글자와 숫자

펜토미노와 글자

펜토미노는 조각끼리 붙여서 재미있는 모양을 만드는 퍼즐로 많이 활용되고 있습니다. 또한 펜토미노는 한글의 자음과 모음, 숫자, 알파벳과 닮아서 펜토미노 조각을 이어 붙여 여러 가지 단어와 숫자를 만들 수 있습니다. 특히 글자와 숫자 만들기는 간단한 도형 활동으로 펜토미노를 처음 접하는 아이들에게 유익하고, 창의력을 기르는 데도 도움이 됩니다.

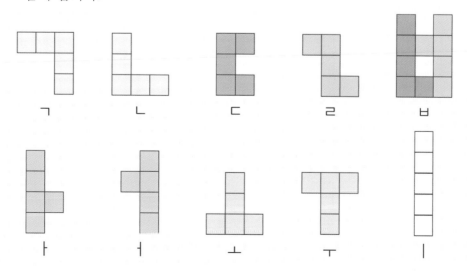

ㄱ   ㄴ   ㄷ   ㄹ   ㅂ

ㅏ   ㅓ   ㅗ   ㅜ   ㅣ

숫자 만들기

✖ 빈 곳에 입체 펜토미노를 놓아 다음 숫자를 만들어 보세요.

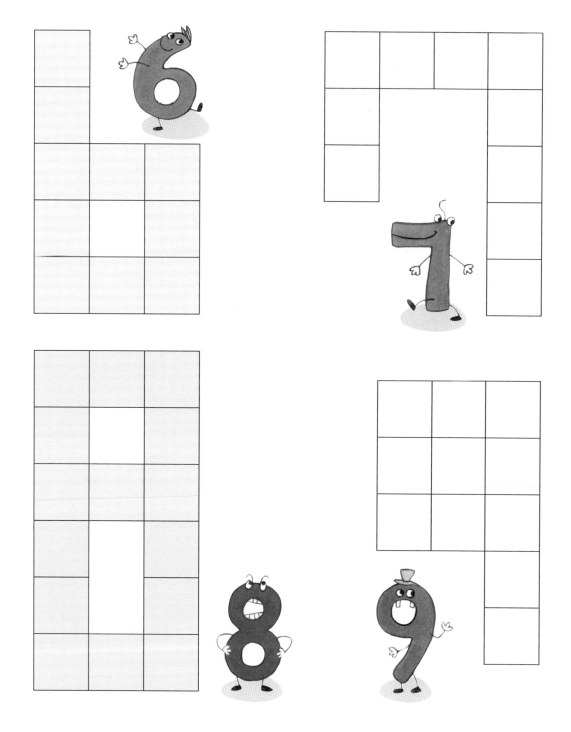

글자 만들기

빈 곳에 입체 펜토미노를 놓아 다음 글자를 만들어 보세요.

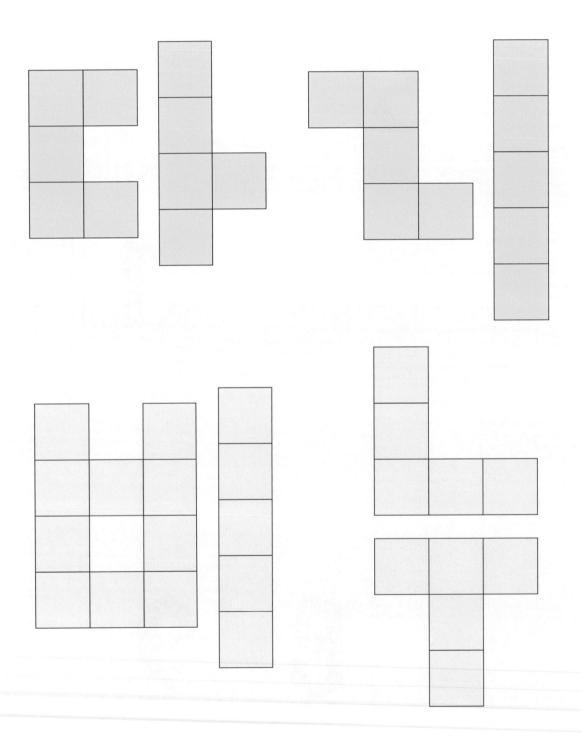

✖ 입체 펜토미노로 다음 글자를 만들고 만든 글자대로 색칠해 보세요.

나비

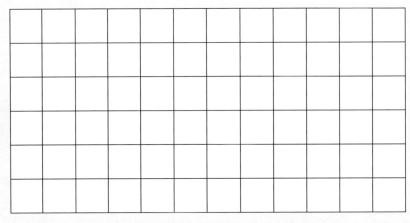

기린

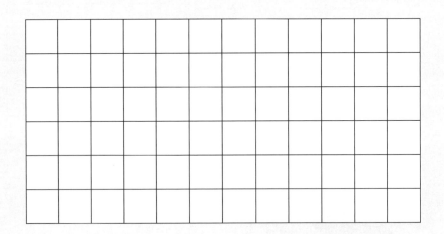

03 모양 만들기

펜토미노와 체스판

영국의 왕 윌리엄의 아들 헨리와 로버트가 프랑스 왕을 방문했을 때의 일입니다.

헨리는 휴식 시간에 프랑스의 황태자 루이와 체스 게임을 하였습니다. 체스 게임에서 진 루이는 화가 나 체스 말을 헨리의 얼굴에 던져버렸습니다. 이에 헨리도 화가 나서는 체스판을 루이의 머리에 내리쳐 깨뜨렸습니다.

이때, 체스판이 13조각으로 쪼개졌는데, 12조각은 정사각형 5개가 이어진 펜토미노였고, 1조각은 2×2 모양의 테트로미노였습니다. 깨진 13조각을 붙이면 다음과 같은 체스판을 만들 수 있답니다.

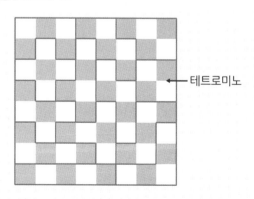

테트로미노

✂ 주어진 입체 테트로미노 조각을 사용하여 다음 모양을 빈틈없이 채워 보세요.

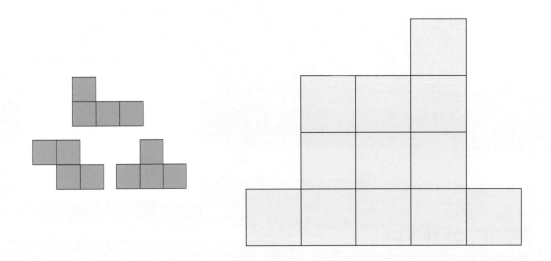

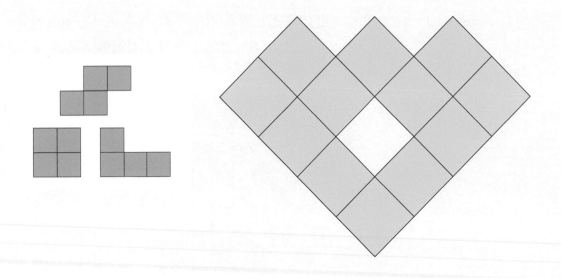

물고기 만들기

✂ 주어진 입체 트로미노와 테트로미노 조각을 사용하여 물고기 모양을 빈틈없이 채워 보세요.

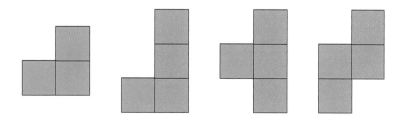

닭과 강아지

준비물 ▸ 입체 폴리오미노(빨간색)

✂️ 주어진 입체 펜토미노 조각을 사용하여 닭과 강아지 모양을 빈틈없이 채워 보세요.

오리와 기린

준비물 ● 입체 폴리오미노(빨간색)

✎ 주어진 입체 펜토미노 조각을 사용하여 오리와 기린 모양을 빈틈없이 채워 보세요.

길 만들기

준비물 ▸ 입체 폴리오미노(빨간색)

✖ 주어진 입체 펜토미노 조각을 사용하여 양이 원숭이를 만나러 가는 길을 빈틈없이 채워
보세요.

04 네모 만들기

캔터베리 퍼즐

영국의 퍼즐 연구가 헨리 듀드니는 도형, 마방진, 체스판 등 다양한 분야의 퍼즐을 만들고 연재하여 퍼즐왕으로 불렸습니다.

그는 펜토미노와 관련한 퍼즐도 소개하였는데, 그가 쓴 '캔터베리 퍼즐' 중에는 8×8 정사각형에서 가운데 2×2 정사각형을 제외한 곳을 펜토미노 12조각으로 채우는 방법이 있습니다.

다음은 헨리 듀드니가 소개한 8×8 정사각형을 채우는 방법 중 몇 가지입니다.

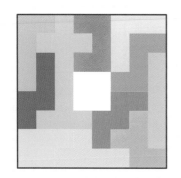 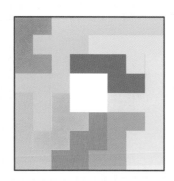 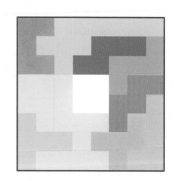

테트로미노와 네모

준비물 ▸ 입체 폴리오미노(주황색, 짙은 파란색)

✖ 주어진 입체 테트로미노 조각을 사용하여 네모 모양을 빈틈없이 채워 보세요.

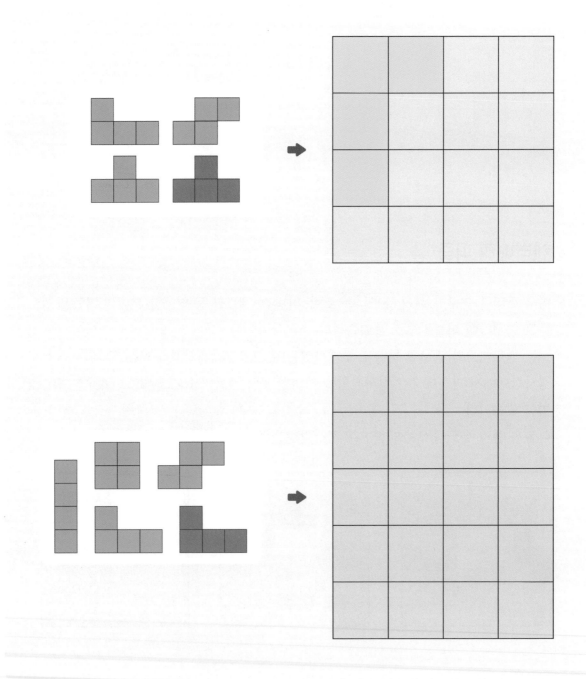

펜토미노와 네모

✖ 주어진 입체 펜토미노 조각을 사용하여 네모 모양을 빈틈없이 채워 보세요.

네모 채우기

준비물 · 입체 폴리오미노(빨간색), 스티커

주어진 입체 펜토미노 조각을 사용하여 다음 네모 모양을 직접 만들어 보세요. 만든 모양 대로 빈 곳에 스티커를 붙여 보세요.

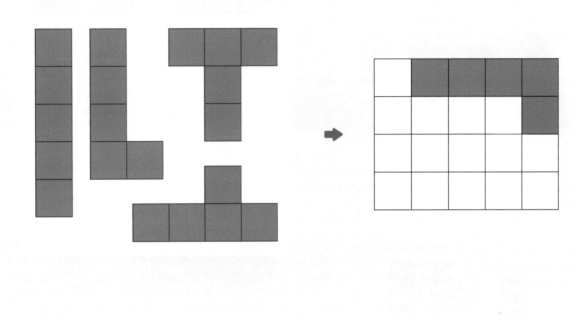

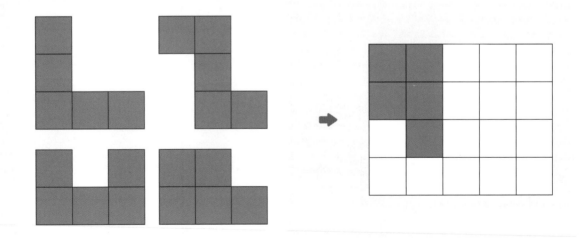

큰 네모 만들기

준비물 ● 입체 폴리오미노(빨간색)

✎ 큰 네모 모양을 만들고 있습니다. 주어진 입체 펜토미노 조각을 빈 곳에 빈틈없이 놓아 네모 모양을 완성해 보세요.

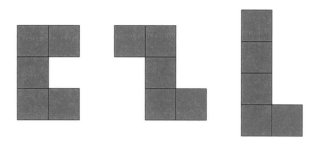

3조각을 더 놓아 큰 네모 모양을 만들 거야.

✖ 큰 네모 모양을 만들고 있습니다. 주어진 입체 펜토미노 조각을 빈 곳에 빈틈없이 놓아 네모 모양을 완성해 보세요.

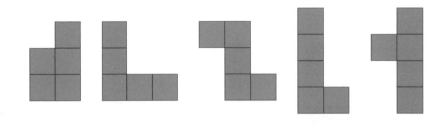

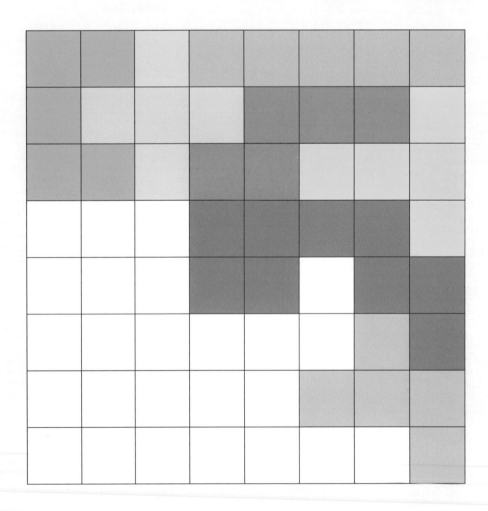

정 답

폴리스퀘어 A

폴리스퀘어 A

폴리오미노 탐구 1

✄ 반듯한 네모 모양 여러 개를 이어 붙인 조각들이 있습니다. 입체 폴리오미노 조각 중에서 똑같은 모양의 조각을 찾아 그림 위에 놓아 보세요.

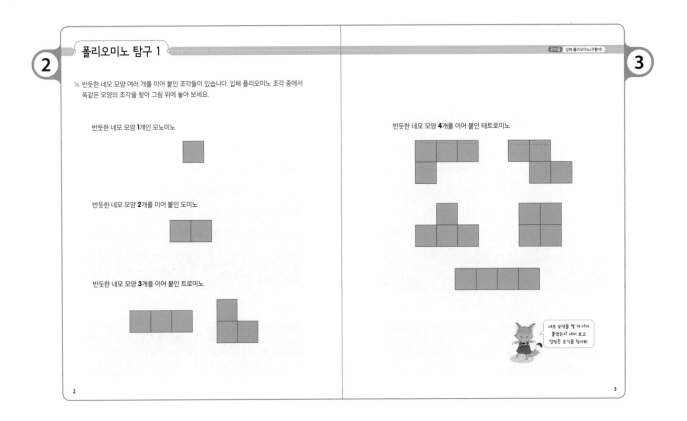

반듯한 네모 모양 **1**개인 모노미노

반듯한 네모 모양 **2**개를 이어 붙인 도미노

반듯한 네모 모양 **3**개를 이어 붙인 트로미노

반듯한 네모 모양 **4**개를 이어 붙인 테트로미노

폴리오미노 탐구 2

✄ 반듯한 네모 모양 **5**개를 붙인 펜토미노 조각들이 있습니다. 입체 폴리오미노 조각 중에서 똑같은 모양의 펜토미노 조각을 찾아 그림 위에 놓아 보세요.

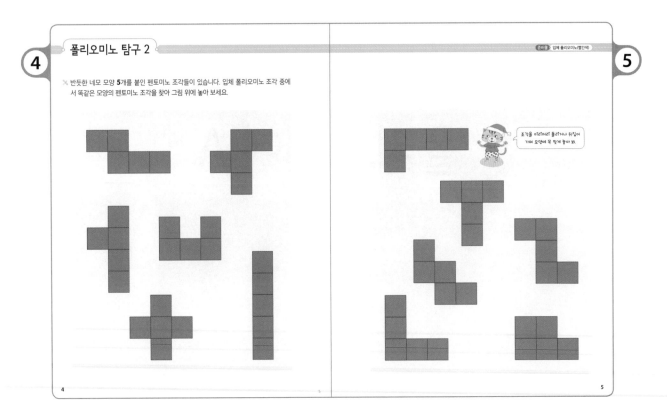

6 보석 감추기

주어진 펜토미노를 겹치지 않고 칸에 맞추어 놓아 보석을 모두 감추려고 합니다. 알맞게 스티커를 붙여 보석을 모두 감추어 보세요.

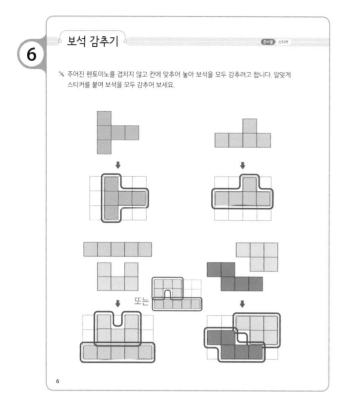

또는

6

8 숫자 만들기

빈 곳에 입체 펜토미노를 놓아 다음 숫자를 만들어 보세요.

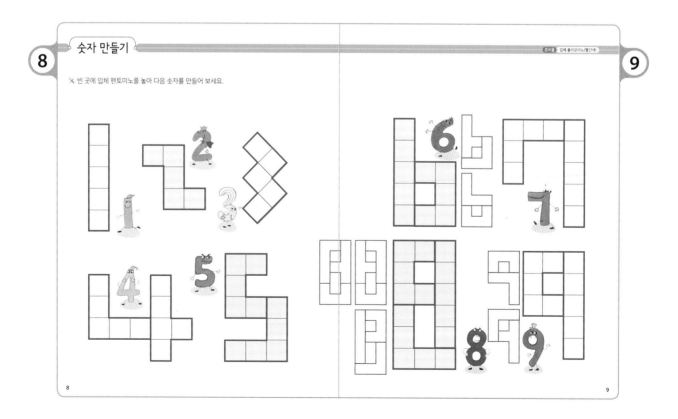

8

9

27

폴리스퀘어 A

글자 만들기

준비물 ▶ 입체 폴리오미노(빨간색, 파란색)

※ 빈 곳에 입체 펜토미노를 놓아 다음 글자를 만들어 보세요.

또는

또는

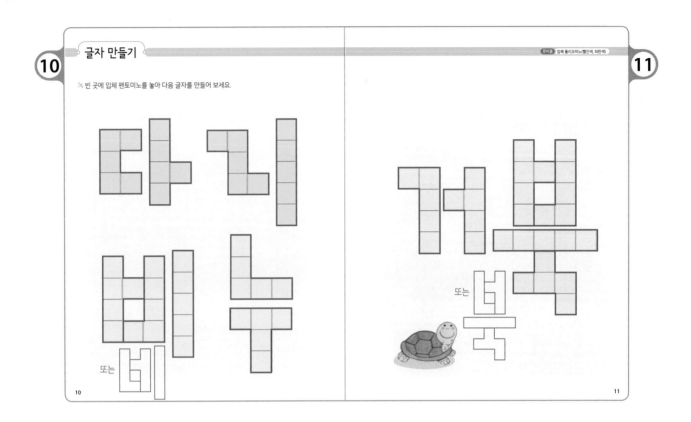

나비와 기린

준비물 ▶ 입체 폴리오미노(빨간색, 파란색)

※ 입체 펜토미노로 다음 글자를 만들고 만든 글자대로 색칠해 보세요.

나비

기린

여러 가지 방법이 있습니다.

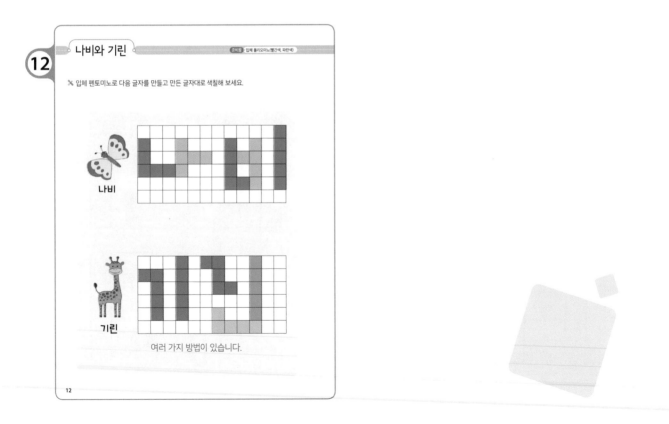

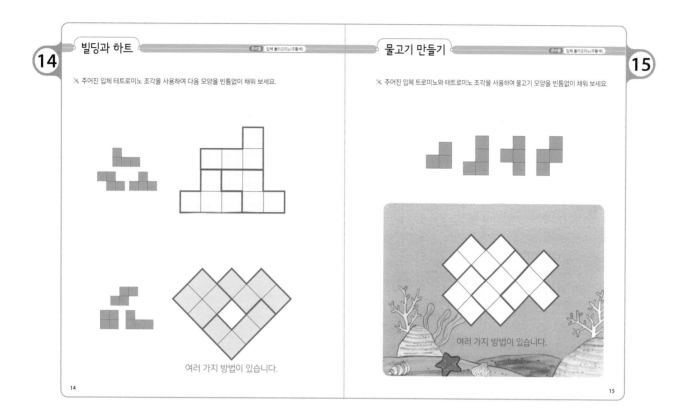

14 빌딩과 하트
준비물 입체 폴리오미노(주황색)

주어진 입체 테트로미노 조각을 사용하여 다음 모양을 빈틈없이 채워 보세요.

여러 가지 방법이 있습니다.

15 물고기 만들기
준비물 입체 폴리오미노(주황색)

주어진 입체 트로미노와 테트로미노 조각을 사용하여 물고기 모양을 빈틈없이 채워 보세요.

여러 가지 방법이 있습니다.

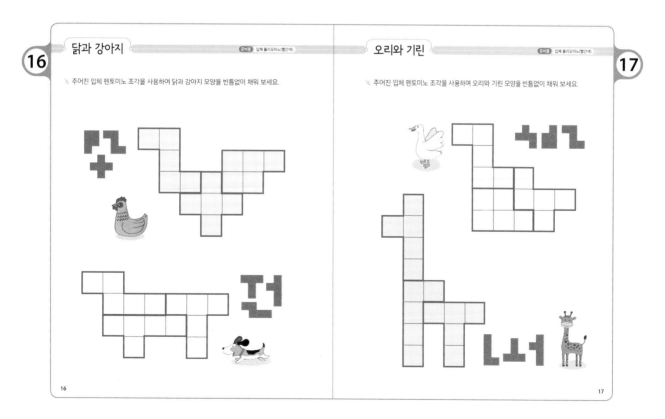

16 닭과 강아지
준비물 입체 폴리오미노(빨간색)

주어진 입체 펜토미노 조각을 사용하여 닭과 강아지 모양을 빈틈없이 채워 보세요.

17 오리와 기린
준비물 입체 폴리오미노(빨간색)

주어진 입체 펜토미노 조각을 사용하여 오리와 기린 모양을 빈틈없이 채워 보세요.

폴리스퀘어 A

길 만들기

준비물 입체 폴리오미노(빨간색)

✖ 주어진 입체 펜토미노 조각을 사용하여 양이 원숭이를 만나러 가는 길을 빈틈없이 채워 보세요.

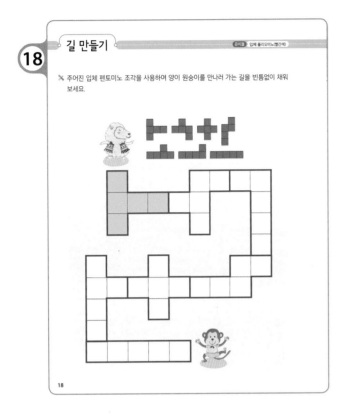

18

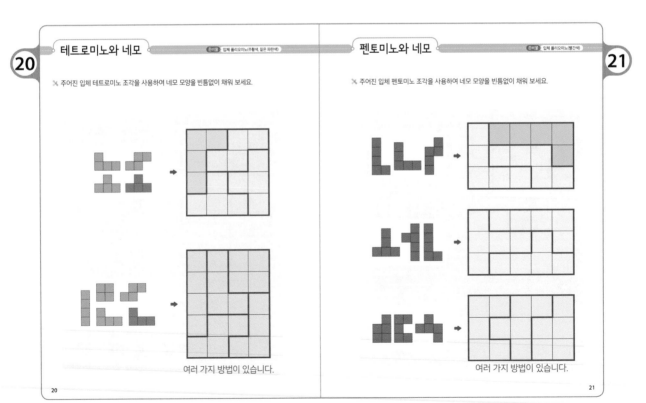

테트로미노와 네모

준비물 입체 폴리오미노(주황색, 짙은 파란색)

✖ 주어진 입체 테트로미노 조각을 사용하여 네모 모양을 빈틈없이 채워 보세요.

여러 가지 방법이 있습니다.

20

펜토미노와 네모

준비물 입체 폴리오미노(빨간색)

✖ 주어진 입체 펜토미노 조각을 사용하여 네모 모양을 빈틈없이 채워 보세요.

여러 가지 방법이 있습니다.

21

22 네모 채우기

주어진 입체 펜토미노 조각을 사용하여 다음 네모 모양을 직접 만들어 보세요. 만든 모양 대로 빈 곳에 스티커를 붙여 보세요.

23 큰 네모 만들기

큰 네모 모양을 만들고 있습니다. 주어진 입체 펜토미노 조각을 빈 곳에 빈틈없이 놓아 네모 모양을 완성해 보세요.

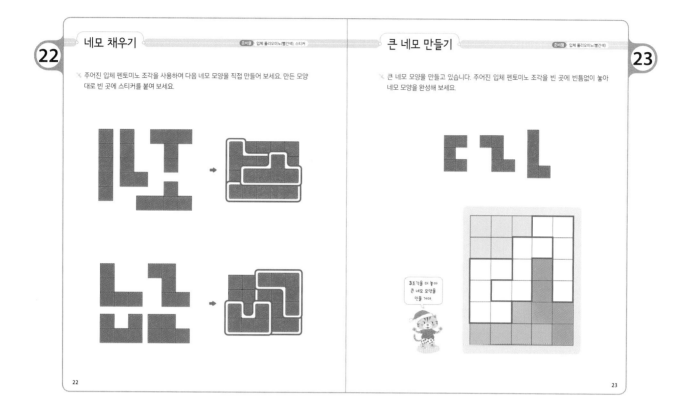

3조각을 더 놓아
큰 네모 모양을
만들 거야

24 캔터베리 퍼즐

큰 네모 모양을 만들고 있습니다. 주어진 입체 펜토미노 조각을 빈 곳에 빈틈없이 놓아 네모 모양을 완성해 보세요.

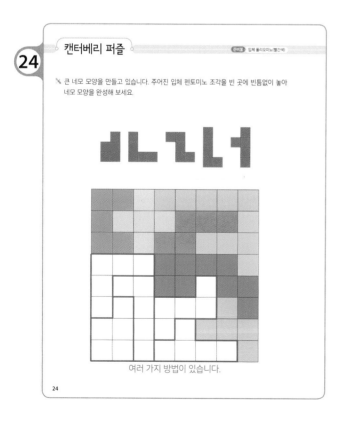

여러 가지 방법이 있습니다.

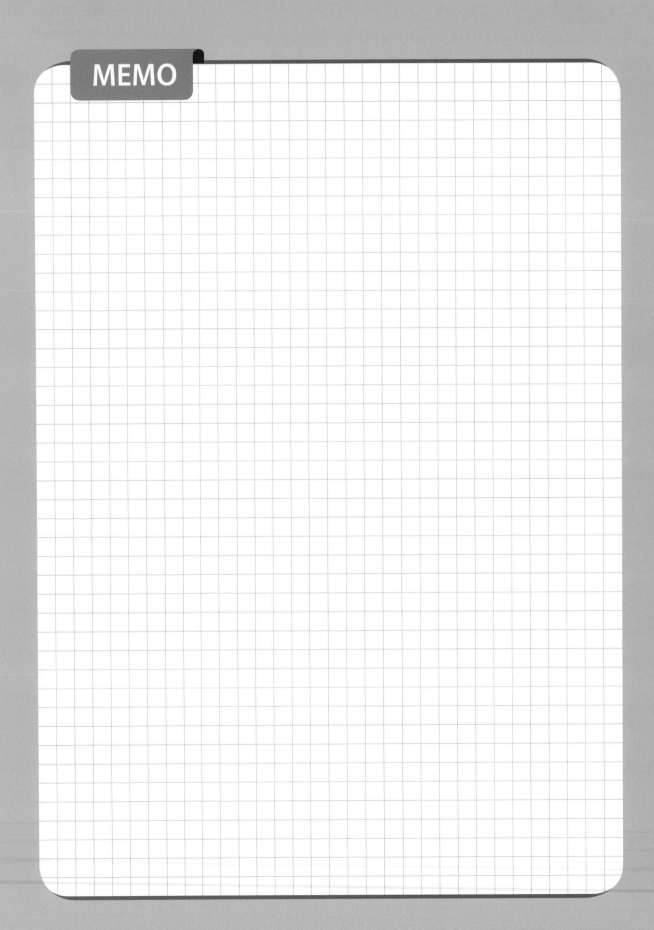

폴리스퀘어 A

6쪽

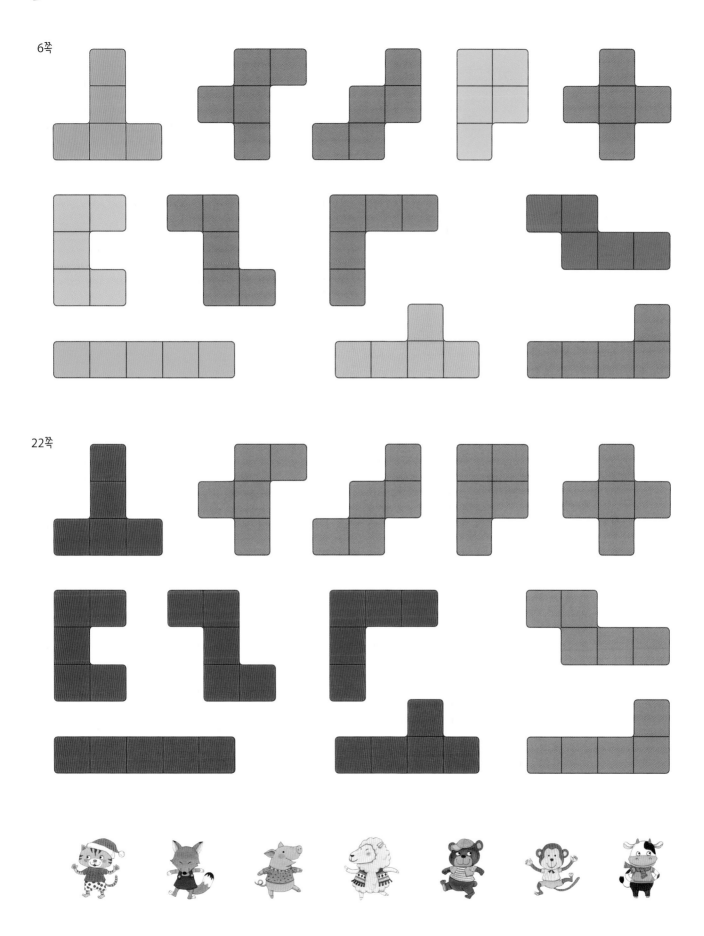

22쪽

초등 수학 교구 상자

평면 공간감각을 길러주는 회전 펜토미노 퍼즐

  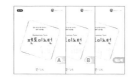

펜토미노턴

초등학생들이 어려워하는 '평면도형의 이동'을 펜토미노와 패턴블록으로 도형을 직접 돌려보며 재미있게 해결하는 공간감각 퍼즐입니다.

입체 공간감각을 길러주는 멀티큐브 퍼즐

큐브빌드

머릿속으로 그리기 어려운 입체도형을 쌓기나무와 멀티큐브를 이용하여 직접 만들어 위, 앞, 옆 모양을 관찰하고, 다양한 입체 모양을 만드는 공간감각 퍼즐입니다.

도형감각을 길러주는 입체 칠교 퍼즐

폴리탄

정사각형을 7조각으로 자른 '입체 칠교'와 직각이등변삼각형을 붙인 '입체 볼로'를 활용하여 평면뿐만 아니라 다양한 입체도형 문제를 해결하는 퍼즐입니다.

수 감각을 길러주는 창의 연산 보드 게임

머긴스빙고

빙고 게임과 머긴스 게임을 활용하여 수 감각과 연산 능력을 끌어올리고 전략적 사고를 키우는 사고력 보드 게임입니다.

공간감각을 길러주는 입체 폴리오미노 보드 게임

 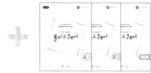

폴리스퀘어

모노미노부터 펜토미노까지의 폴리오미노를 이용하여 다양한 모양을 만들어 보고, 공간을 차지하는 게임으로 공간감각을 키우는 공간점령 보드 게임입니다.

I hear and I forget 듣기만 한 것은 잊어버리고

I see and I remember 본 것은 기억되지만

I do and I understand 직접 해 본 것은 이해가 된다

Poly Square

폴리스퀘어

펴낸곳: ㈜씨투엠에듀   발행인: 한헌조

이 책의 전부 또는 일부에 대한 무단전재와 무단복제를 금합니다.

모델명: 필즈엠_폴리스퀘어
제조년월: 2020년 2월
주소 및 전화번호: 경기도 수원시 장안구 파장로 7(태영빌딩 3층) / 031-548-1191
제조국명: 한국

공간감각을 길러주는
입체 폴리오미노 보드 게임

Poly Square

폴리스퀘어

B

Creative to Math
씨투엠

● .... 차 례

"꿈꾸는 아이들을 위한 교육 사다리"

논리와 재미, 즐거운 수학 교육을 위한 최고의 콘텐츠를 만들겠습니다

Creative to Math
씨투엠

• 법인명: ㈜씨투엠에듀(C2MEDU corp.)

• CEO: 한헌조

• 창립연도: 2014년 10월

• 홈페이지: www.c2medu.co.kr

01 펜토미노

펜토미노와 알파벳

펜토미노는 정사각형 5개를 이어 붙인 도형으로 모두 12가지가 있습니다. 펜토미노 12조각은 알파벳과 닮아서 각 조각마다 알파벳 이름이 있습니다.

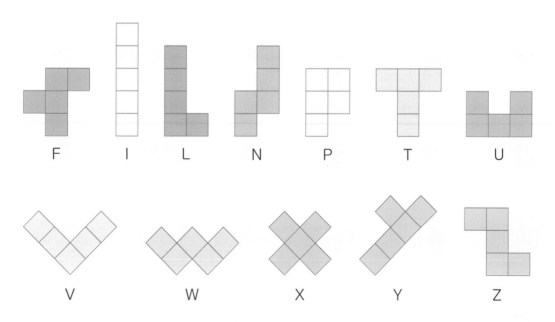

F   I   L   N   P   T   U

V   W   X   Y   Z

12조각 펜토미노

✖ 정사각형 **5**개를 변끼리 붙여 만든 도형을 펜토미노라고 합니다. 조건에 맞는 펜토미노를 찾고 빈 곳에 알맞은 스티커를 붙여 보세요.

• 한 줄에 정사각형이 **5**개 있는 펜토미노

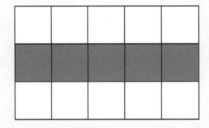

• 한 줄에 정사각형이 **4**개 있는 펜토미노

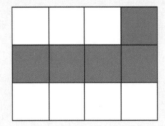　　　　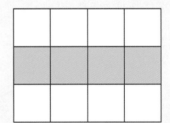

• 한 줄에 정사각형이 **3**개 있고, 위쪽과 아래쪽에 정사각형이 각각 **1**개씩 있는 펜토미노

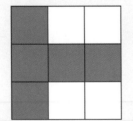　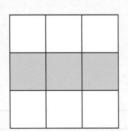　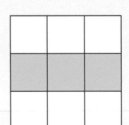　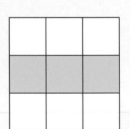

• 한 줄에 정사각형이 **3**개 있고, 그 위쪽에 정사각형이 **2**개 있는 펜토미노

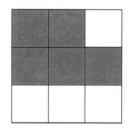
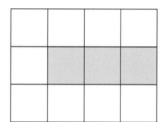

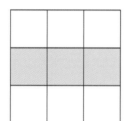
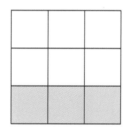

• 한 줄에 정사각형이 **2**개 있는 펜토미노

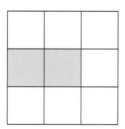

돌리거나 뒤집어서
겹쳐지면
같은 모양이야.

보석 감추기

🔪 주어진 펜토미노를 겹치지 않고 칸에 맞추어 놓아 보석을 모두 감추려고 합니다. 알맞게
스티커를 붙여 보석을 모두 감추어 보세요.

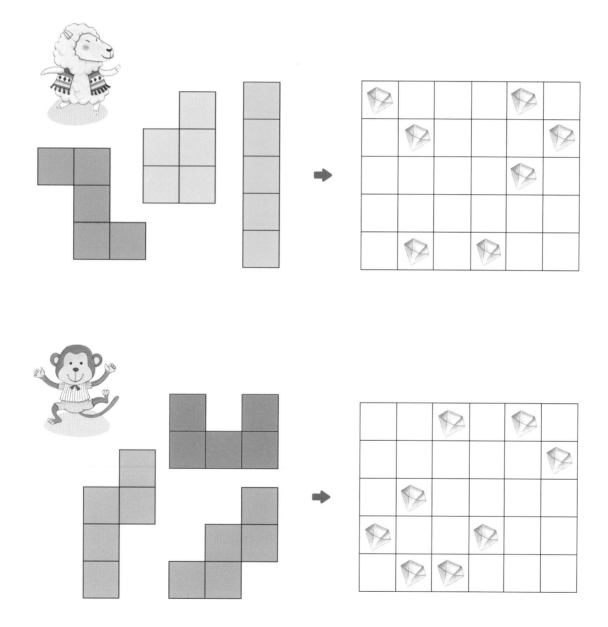

펜토미노 찾기

✖ 펜토미노는 정사각형 **5**개를 변끼리 이어 붙인 도형입니다. 펜토미노가 <u>아닌</u> 것을 찾아 모두 ✕표 하세요.

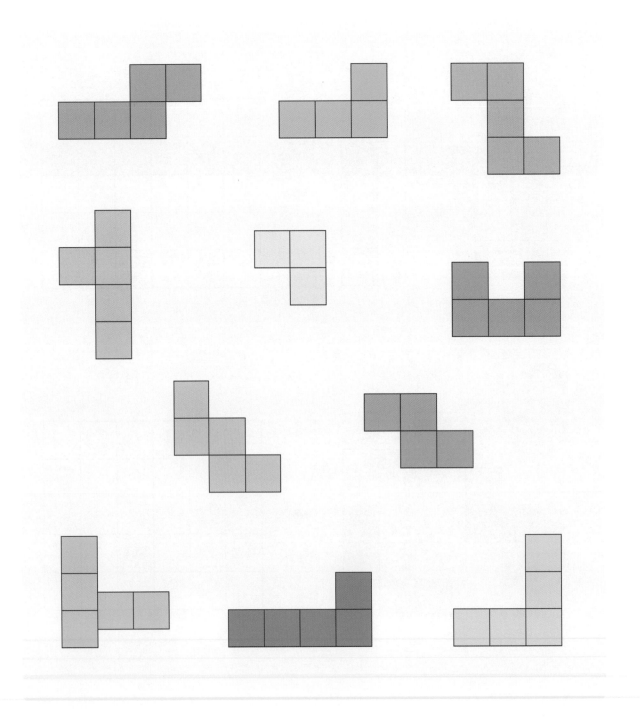

02 더블 펜토미노

더블, 트리플 펜토미노

펜토미노는 다양한 모양의 조각이 있어 조각끼리 이어 붙이면 재미있는 모양을 만들 수 있습니다. 그중에서 원래 펜토미노 조각보다 2배 커진 더블 펜토미노, 3배 커진 트리플 펜토미노를 만들 수도 있습니다.

펜토미노 한 조각은 정사각형 5개를 붙여 만든 도형입니다. 따라서 가로와 세로가 각각 2배씩 커진 더블 펜토미노는 정사각형 20개(5×2×2)를 붙여 만든 도형이고 펜토미노 4개로 만들 수 있습니다. 또한 가로와 세로가 각각 3배씩 커진 트리플 펜토미노는 정사각형 45개(5×3×3)를 붙여 만든 도형이고 펜토미노 9개로 만들 수 있습니다.

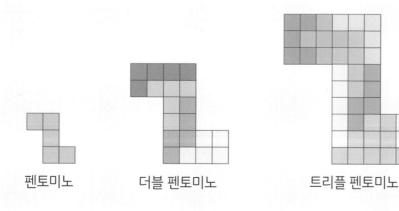

펜토미노   더블 펜토미노   트리플 펜토미노

더블 펜토미노

※ 주어진 입체 펜토미노 조각을 사용하여 원래 펜토미노보다 **2**배 커진 더블 펜토미노를 빈 틈없이 채워 보세요.

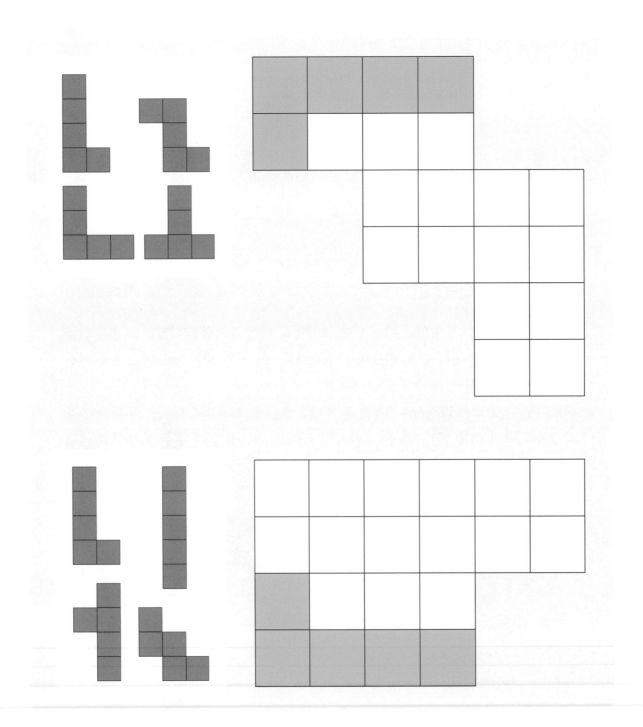

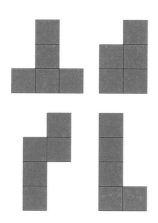

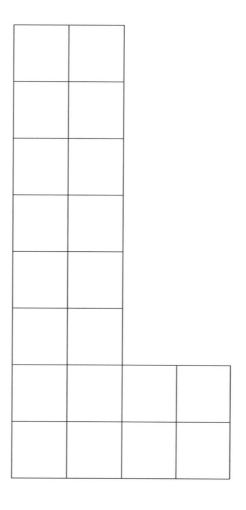

가로, 세로가 **2**배씩 커진 더블 펜토미노는
정사각형 **20**개를 붙인 크기와 같아.
그러니깐 펜토미노 **4**개로 만들 수 있지.

트리플 펜토미노

✖ 원래 펜토미노보다 **3**배 커진 트리플 펜토미노를 만들고 있습니다. 주어진 입체 펜토미노 조각을 빈 곳에 놓아 트리플 펜토미노를 완성해 보세요.

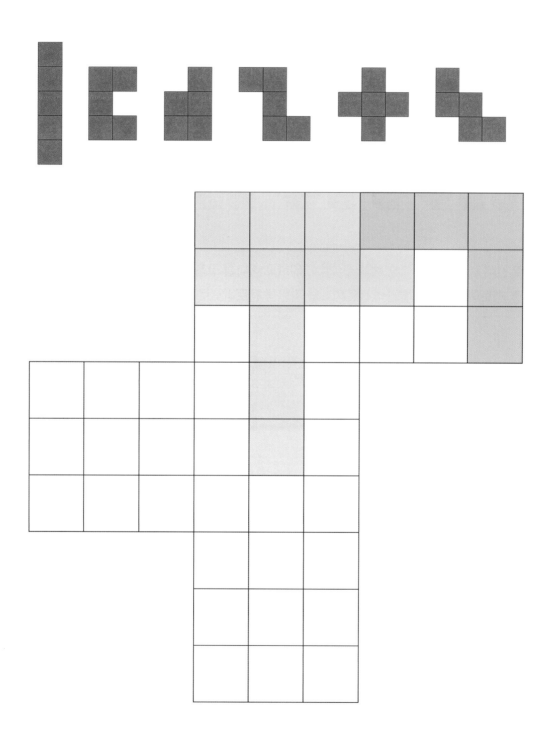

커져라 펜토미노

✂ 입체 펜토미노로 더블 펜토미노를 만들어 봅시다.

준비물 입체 폴리오미노(빨간색, 파란색)

1️⃣ 입체 폴리오미노 조각 중 빨간색과 파란색 펜토미노 조각을 준비합니다.

2️⃣ 빨간색 펜토미노 조각 중 ➕ 조각을 제외하고 하나를 고릅니다. 고른 조각보다 2배 커진 더블 펜토미노를 남은 빨간색 펜토미노와 파란색 펜토미노로 만들어 봅니다.

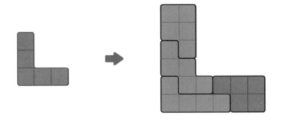

3️⃣ 같은 방법으로 다른 펜토미노 조각을 고르고, 고른 조각보다 2배 커진 더블 펜토미노를 만들어 봅니다.

➕ 조각은 똑같은 조각 **4**개로만 만들 수 있어.

모양 만들기

펜토미노와 직사각형

펜토미노는 정사각형 5개를 붙여 만든 도형으로 모두 12가지가 있습니다. 펜토미노 12조각을 모두 합하면 정사각형 60개를 이어 붙인 모양이 되므로 10×6, 12×5, 15×4, 20×3 크기의 직사각형을 만들 수 있습니다.

다음은 직사각형을 만드는 수많은 방법 중 한 가지입니다.

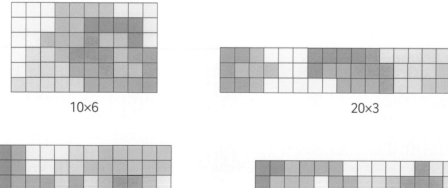

10×6

20×3

12×5

15×4

사각형 만들기

✖ 주어진 입체 펜토미노 조각을 사용하여 여러 가지 크기의 사각형을 만들어 보세요.

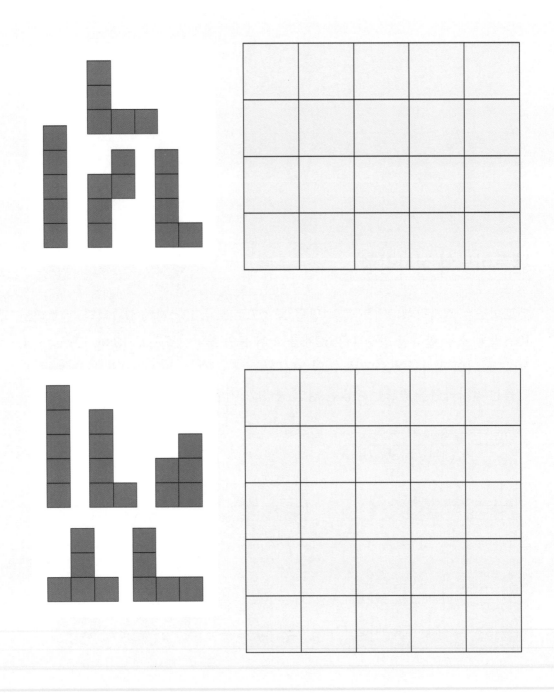

사각형 칸을 세어 보면
펜토미노 조각 몇 개가
필요한지 알 수 있지.

코끼리와 순록

✂ 입체 펜토미노 **12**조각을 모두 사용하여 코끼리와 순록 만들기에 도전해 보세요.

순록의 뿔과
꼬리부터 채워 봐.

✖ 입체 펜토미노 **12**조각을 모두 사용하여 캥거루 만들기에 도전해 보세요.

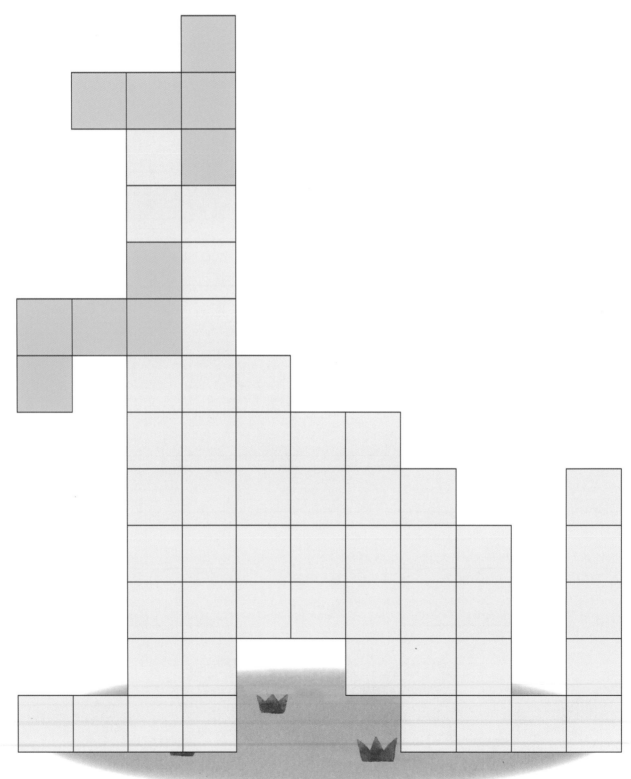

04 입체 펜토미노

입체 폴리오미노

폴리오미노는 정사각형을 붙여 만든 평면도형을 말합니다. 평면도형에 높이를 주어 입체로 만든 입체 폴리오미노는 여러 가지 평면 모양 뿐만 아니라 입체 모양도 만들 수 있습니다.

입체 트로미노와 테트로미노 조각 중 일부는 소마큐브 조각이기도 하고, 입체 펜토미노 12조각을 모두 사용하여 상자 모양을 만들 수도 있습니다.

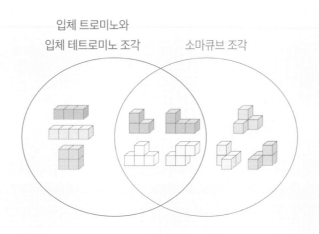

입체 트로미노와
입체 테트로미노 조각   소마큐브 조각

똑같이 만들기

✖ 주어진 입체 펜토미노 조각을 사용하여 다음 모양을 똑같이 만들어 보세요.

✖ 주어진 입체 펜토미노 조각을 사용하여 다음 모양을 만들어 보세요.

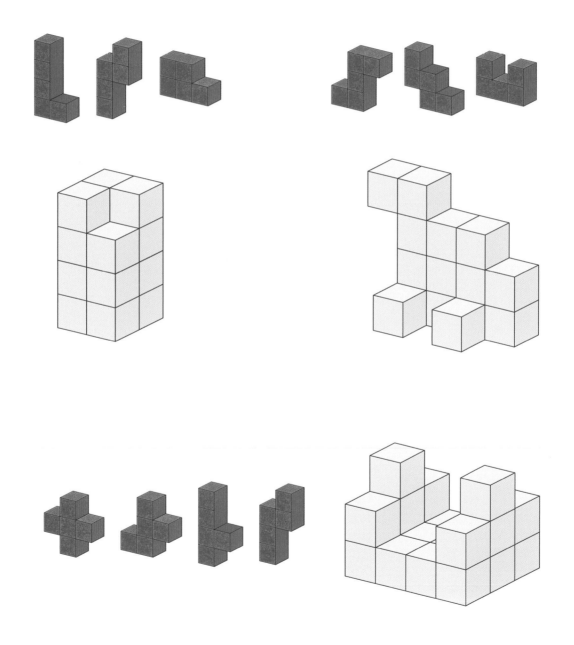

✖ 주어진 입체 펜토미노 조각을 사용하여 다음 모양을 만들어 보세요.

긴 조각 **2**개는
눕힐 수 없어.

입체 펜토미노 **12**조각을 모두 사용하여 순서를 따라 다음 상자 모양을 만들어 보세요.

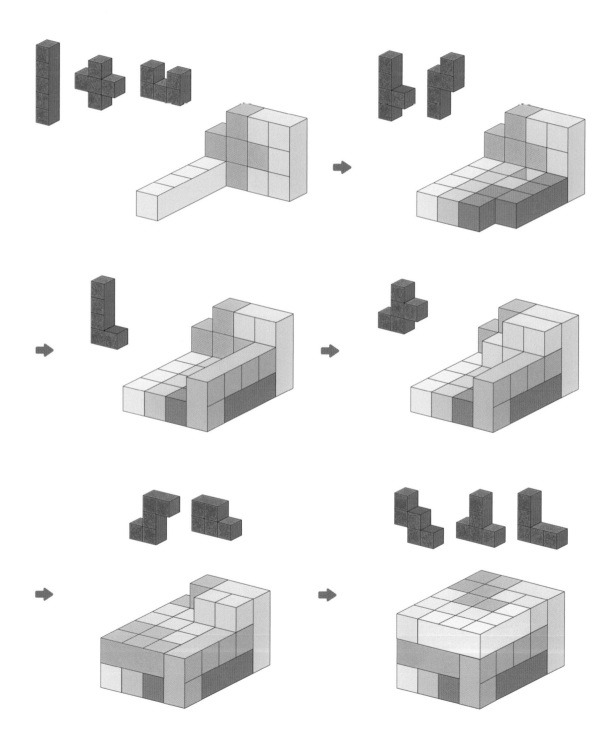

입체 펜토미노 **12**조각을 모두 사용하여 순서를 따라 다음 계단 모양을 만들어 보세요.

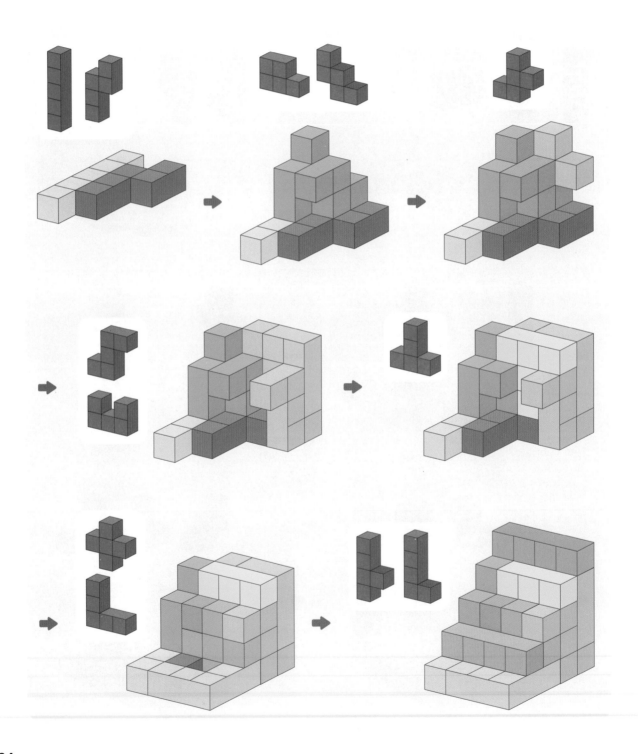

정 답

폴리스퀘어 B

폴리스퀘어 B

12조각 펜토미노

정사각형 **5**개를 변끼리 붙여 만든 도형을 펜토미노라고 합니다. 조건에 맞는 펜토미노를 찾고 빈 곳에 알맞은 스티커를 붙여 보세요.

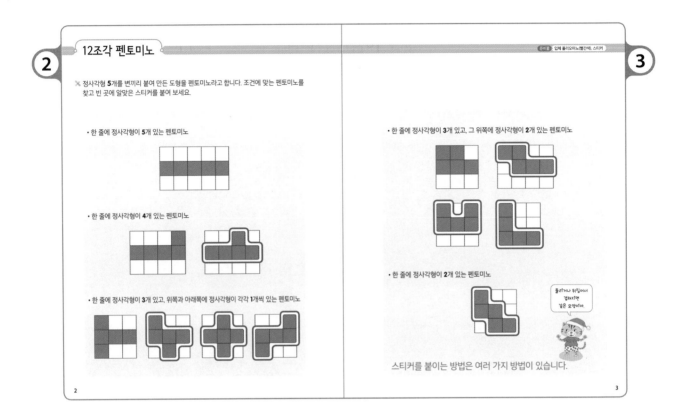

- 한 줄에 정사각형이 **5**개 있는 펜토미노

- 한 줄에 정사각형이 **4**개 있는 펜토미노

- 한 줄에 정사각형이 **3**개 있고, 위쪽과 아래쪽에 정사각형이 각각 **1**개씩 있는 펜토미노

- 한 줄에 정사각형이 **3**개 있고, 그 위쪽에 정사각형이 **2**개 있는 펜토미노

- 한 줄에 정사각형이 **2**개 있는 펜토미노

돌리거나 뒤집어서 겹쳐지면 같은 모양이야.

스티커를 붙이는 방법은 여러 가지 방법이 있습니다.

보석 감추기

주어진 펜토미노를 겹치지 않고 칸에 맞추어 놓아 보석을 모두 감추려고 합니다. 알맞게 스티커를 붙여 보석을 모두 감추어 보세요.

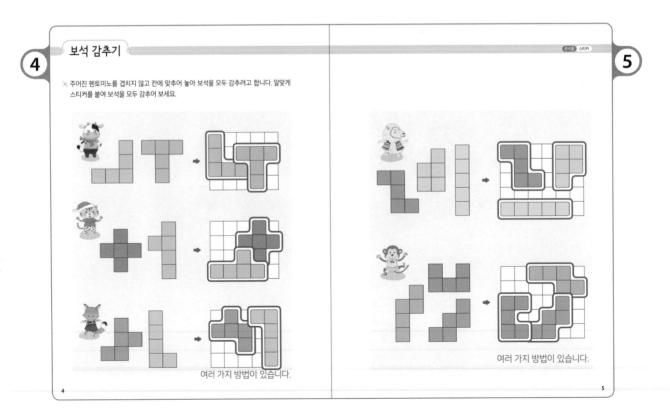

여러 가지 방법이 있습니다.

여러 가지 방법이 있습니다.

6 펜토미노 찾기

펜토미노는 정사각형 **5**개를 변끼리 이어 붙인 도형입니다. 펜토미노가 <u>아닌</u> 것을 찾아 모두 ×표 하세요.

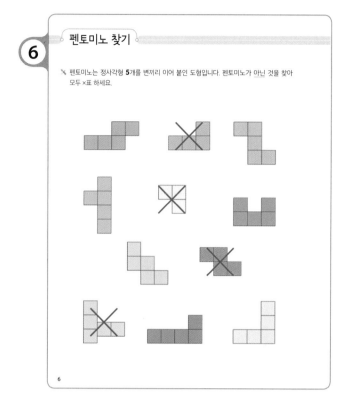

6

8 더블 펜토미노

9

주어진 입체 펜토미노 조각을 사용하여 원래 펜토미노보다 **2**배 커진 더블 펜토미노를 빈 틈없이 채워 보세요.

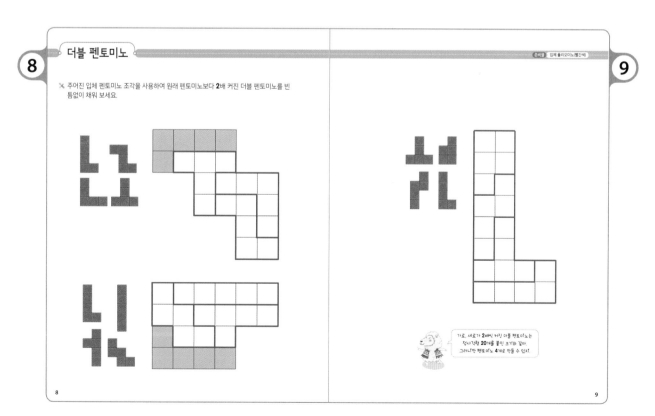

가로, 세로가 **2**배인 더블 펜토미노는 정사각형 **20**개를 붙인 크기와 같아. 그러니까 펜토미노 **4**개로 만들 수 있지!

8

9

폴리스퀘어 B

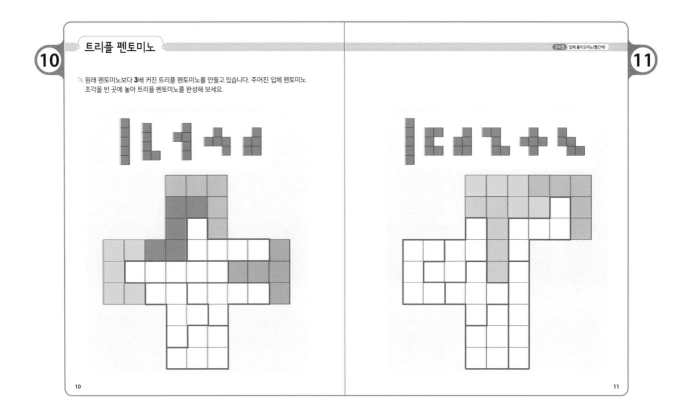

트리플 펜토미노

준비물 입체 폴리오미노(빨간색)

원래 펜토미노보다 **3**배 커진 트리플 펜토미노를 만들고 있습니다. 주어진 입체 펜토미노 조각을 빈 곳에 놓아 트리플 펜토미노를 완성해 보세요.

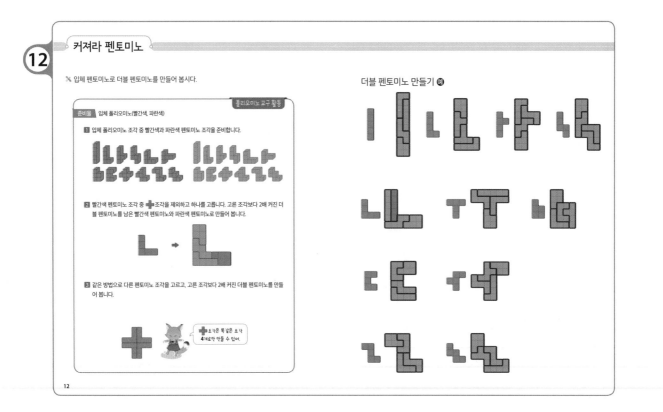

커져라 펜토미노

입체 펜토미노로 더블 펜토미노를 만들어 봅시다.

폴리오미노 교구 활동

더블 펜토미노 만들기 **예**

준비물 입체 폴리오미노(빨간색, 파란색)

1 입체 폴리오미노 조각 중 빨간색과 파란색 펜토미노 조각을 준비합니다.

2 빨간색 펜토미노 조각 중 ╋조각을 제외하고 하나를 고릅니다. 고른 조각보다 2배 커진 더블 펜토미노를 남은 빨간색 펜토미노와 파란색 펜토미노로 만들어 봅니다.

3 같은 방법으로 다른 펜토미노 조각을 고르고, 고른 조각보다 2배 커진 더블 펜토미노를 만들어 봅니다.

╋조각은 폭 낮은 조각 **4**개로만 만들 수 있어.

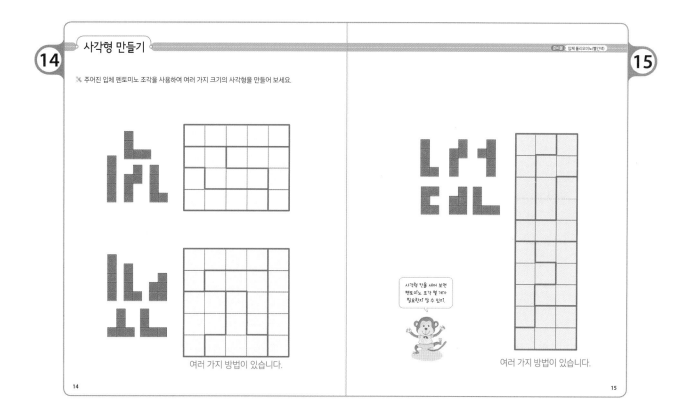

14 사각형 만들기

준비물 입체 폴리오미노(빨간색) **15**

※ 주어진 입체 펜토미노 조각을 사용하여 여러 가지 크기의 사각형을 만들어 보세요.

여러 가지 방법이 있습니다.

사각형 칸을 세어 보면 펜토미노 조각 몇 개가 필요한지 알 수 있지.

여러 가지 방법이 있습니다.

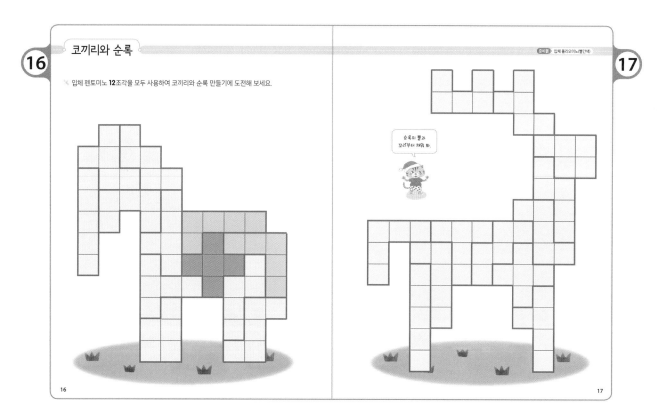

16 코끼리와 순록

준비물 입체 폴리오미노(빨간색) **17**

※ 입체 펜토미노 **12**조각을 모두 사용하여 코끼리와 순록 만들기에 도전해 보세요.

순록의 뿔과 꼬리부터 채워 봐.

폴리스퀘어 B

캥거루 만들기

준비물 입체 폴리오미노(빨간색)

✘ 입체 펜토미노 **12**조각을 모두 사용하여 캥거루 만들기에 도전해 보세요.

18

똑같이 만들기

준비물 입체 폴리오미노(빨간색)

✘ 주어진 입체 펜토미노 조각을 사용하여 다음 모양을 똑같이 만들어 보세요.

모양 만들기

준비물 입체 폴리오미노(빨간색)

✘ 주어진 입체 펜토미노 조각을 사용하여 다음 모양을 만들어 보세요.

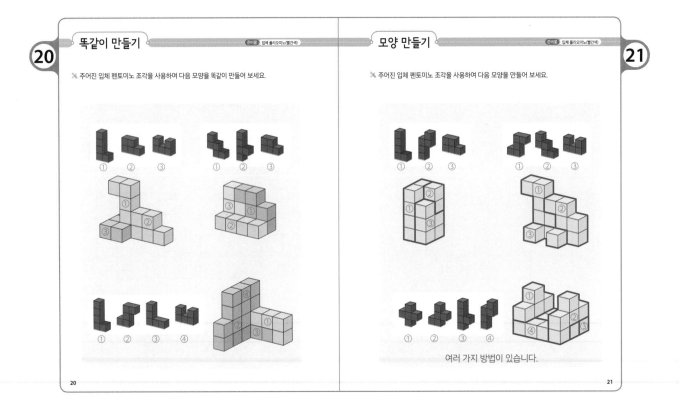

여러 가지 방법이 있습니다.

20

21

22 성 만들기

준비물 입체 폴리오미노(빨간색)

주어진 입체 펜토미노 조각을 사용하여 다음 모양을 만들어 보세요.

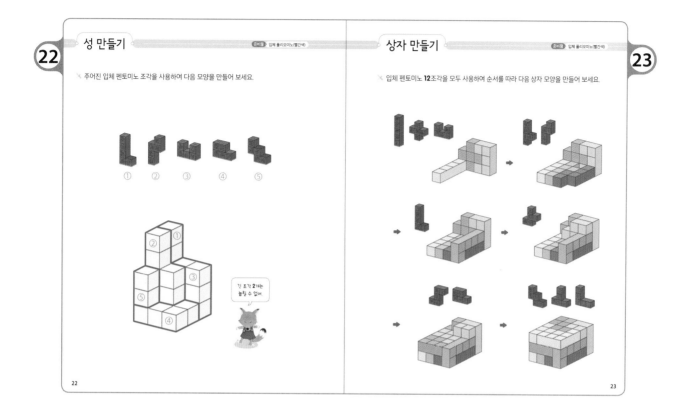

긴 조각 2개는
놓칠 수 없어

23 상자 만들기

준비물 입체 폴리오미노(빨간색)

입체 펜토미노 12조각을 모두 사용하여 순서를 따라 다음 상자 모양을 만들어 보세요.

24 계단 만들기

준비물 입체 폴리오미노(빨간색)

입체 펜토미노 12조각을 모두 사용하여 순서를 따라 다음 계단 모양을 만들어 보세요.

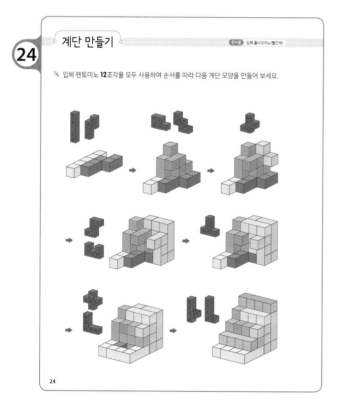

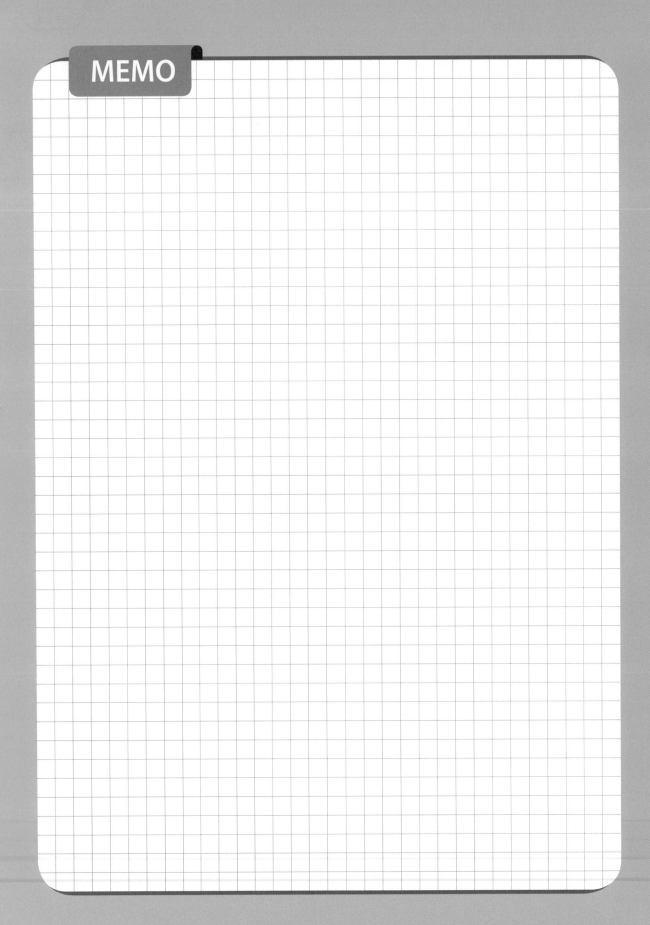

폴리스퀘어 B

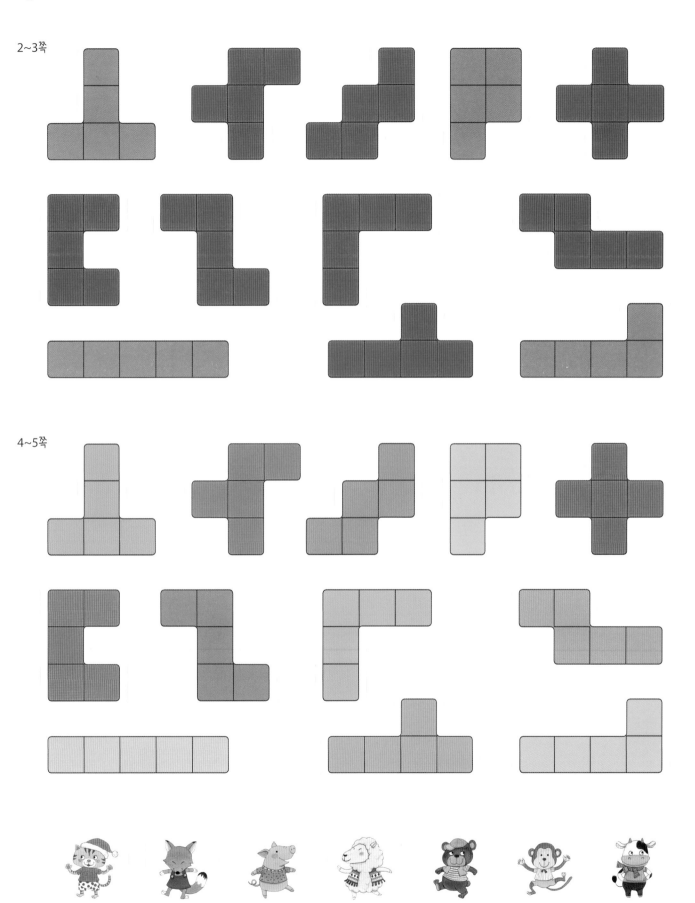

초등 수학 교구 상자

펜토미노턴

평면 공간감각을 길러주는 회전 펜토미노 퍼즐

초등학생들이 어려워하는 '평면도형의 이동'을 펜토미노와 패턴블록으로 도형을 직접 돌려보며 재미있게 해결하는 공간감각 퍼즐입니다.

큐브빌드

입체 공간감각을 길러주는 멀티큐브 퍼즐

머릿속으로 그리기 어려운 입체도형을 쌓기나무와 멀티큐브를 이용하여 직접 만들어 위, 앞, 옆 모양을 관찰하고, 다양한 입체 모양을 만드는 공간감각 퍼즐입니다.

폴리탄

도형감각을 길러주는 입체 칠교 퍼즐

정사각형을 7조각으로 자른 '입체 칠교'와 직각이등변삼각형을 붙인 '입체 볼로'를 활용하여 평면뿐만 아니라 다양한 입체도형 문제를 해결하는 퍼즐입니다.

머긴스빙고

수 감각을 길러주는 창의 연산 보드 게임

빙고 게임과 머긴스 게임을 활용하여 수 감각과 연산 능력을 끌어올리고 전략적 사고를 키우는 사고력 보드 게임입니다.

폴리스퀘어

공간감각을 길러주는 입체 폴리오미노 보드 게임

모노미노부터 펜토미노까지의 폴리오미노를 이용하여 다양한 모양을 만들어 보고, 공간을 차지하는 게임으로 공간감각을 키우는 공간 점령 보드 게임입니다.

I hear and I forget 듣기만 한 것은 잊어버리고

I see and I remember 본 것은 기억되지만

I do and I understand 직접 해 본 것은 이해가 된다

Poly Square

폴리스퀘어

펴낸곳: ㈜씨투엠에듀　　　발행인: 한헌조

이 책의 전부 또는 일부에 대한 무단전재와 무단복제를 금합니다.

모델명: 필즈엠_폴리스퀘어
제조년월: 2020년 2월
주소 및 전화번호: 경기도 수원시 장안구 파장로 7(태영빌딩 3층) / 031-548-1191
제조국명: 한국

공간감각을 길러주는
입체 폴리오미노 보드 게임

Poly Square

폴리스퀘어

카드북

새로운 카드로 더욱 재미있는 활동을 해 보세요.

카드북 구성

모양 만들기 카드 24장

모양 만들기 카드 활동

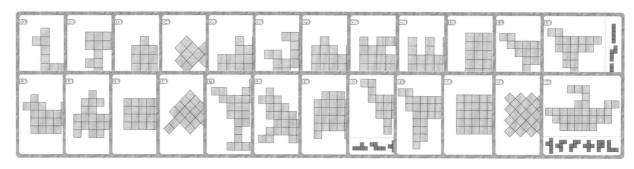

모양 만들기 문제 카드를 보고 오른쪽에 주어진 입체 폴리오미노 중 펜토미노 조각 모두 사용하여 모양을 만듭니다.
모양을 만드는 방법은 여러 가지가 있습니다.

카드 뒷면의 정답 모양을 보고 오른쪽에 주어진 입체 폴리오미노 조각을 모두 사용하여 모양을 똑같이 만들어 보는 활동을 할
수도 있습니다.

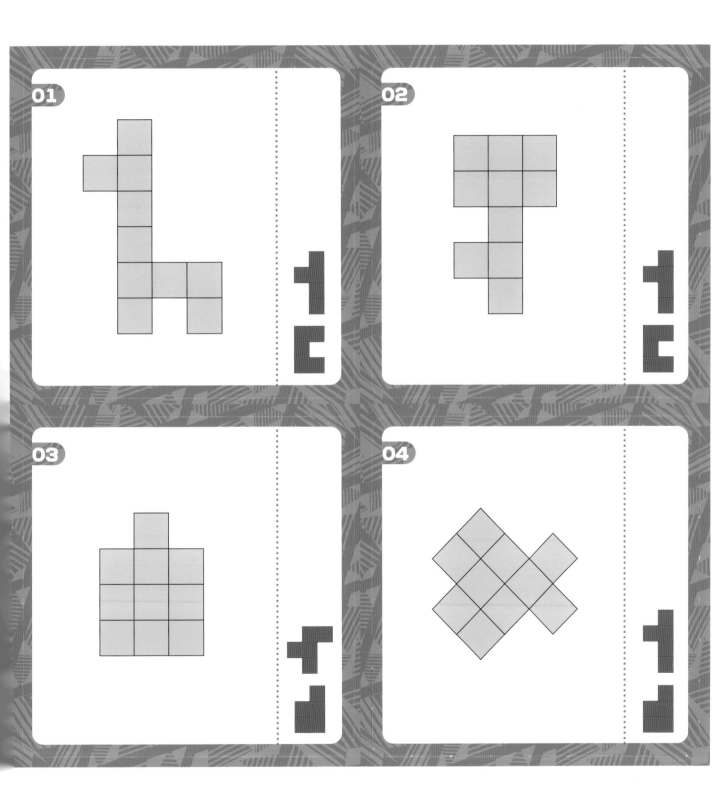

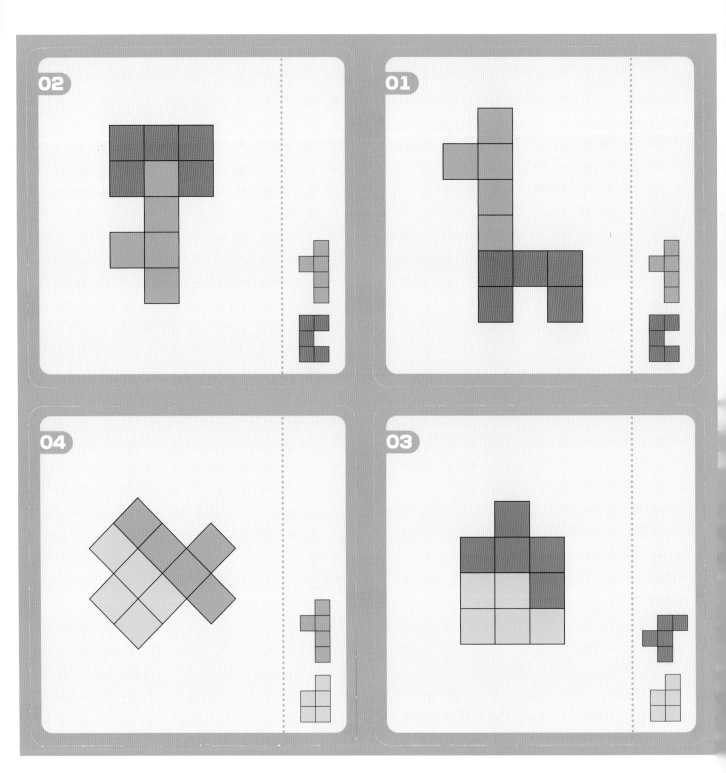

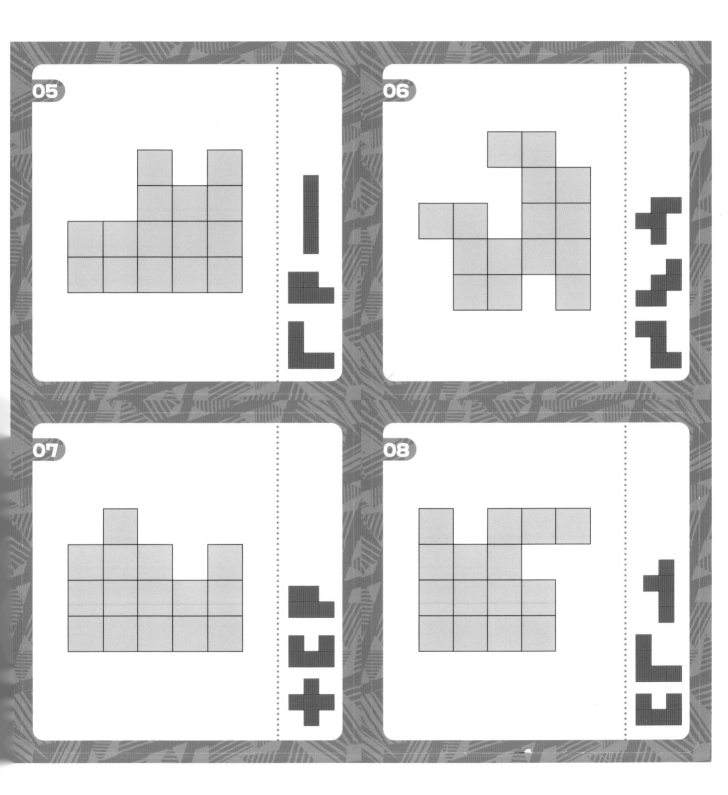

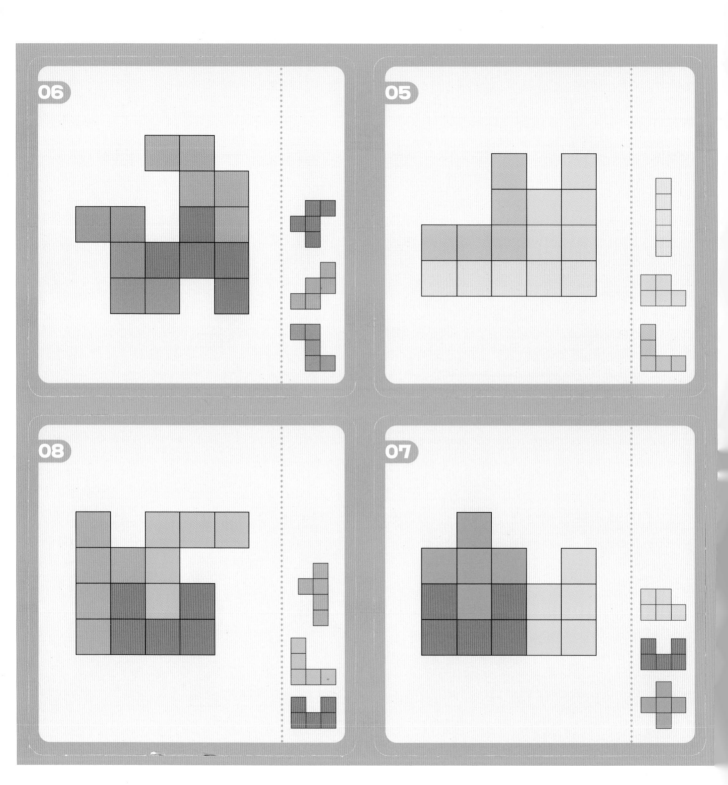

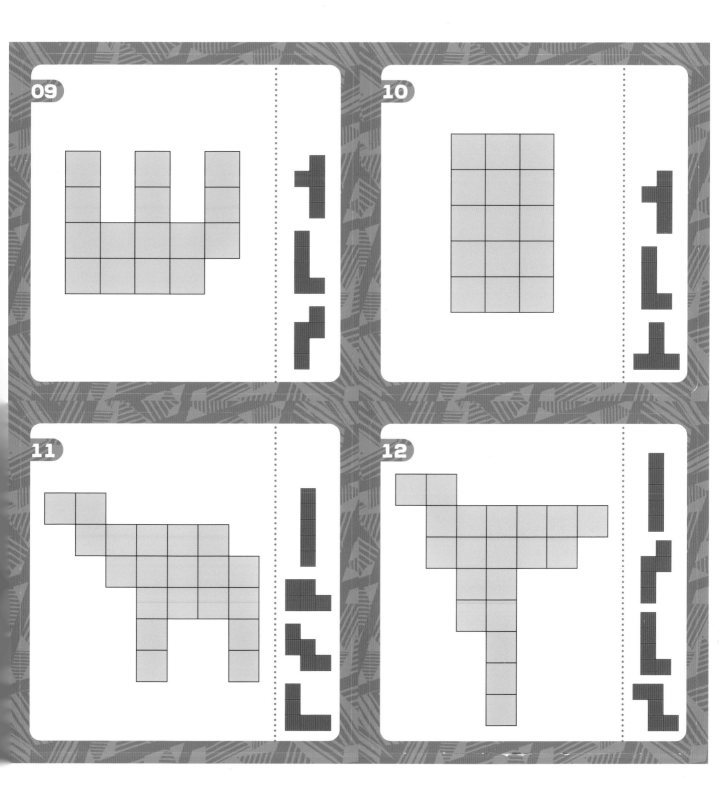

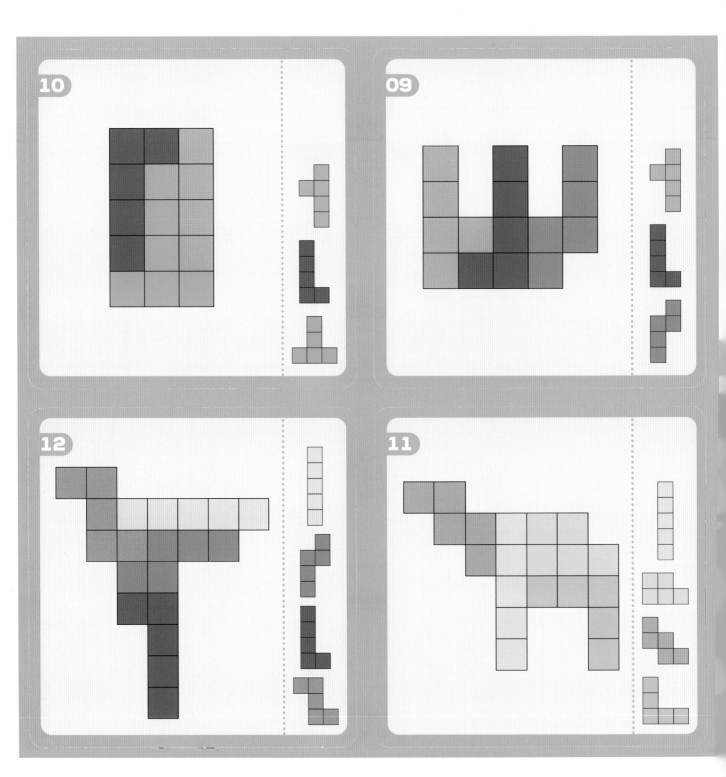

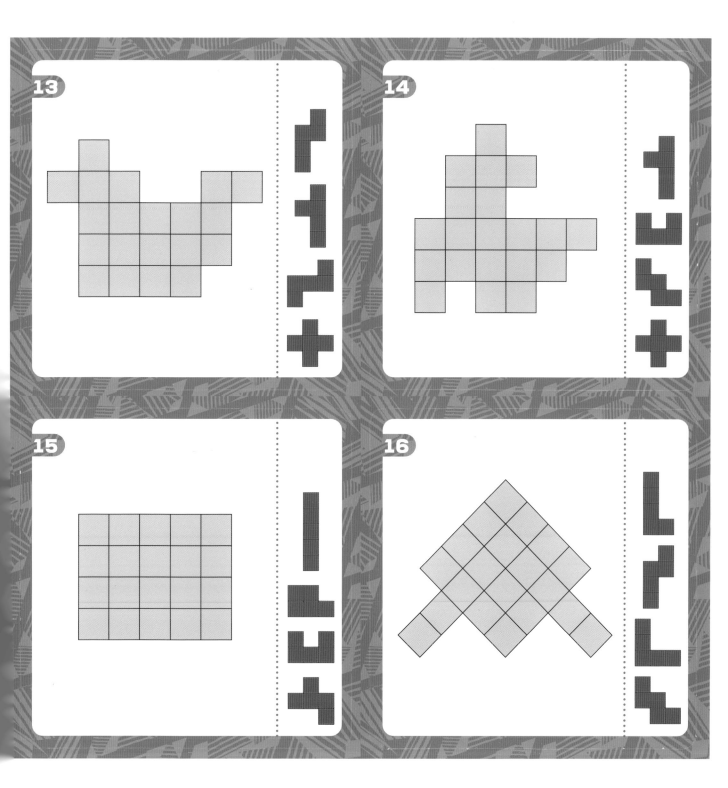

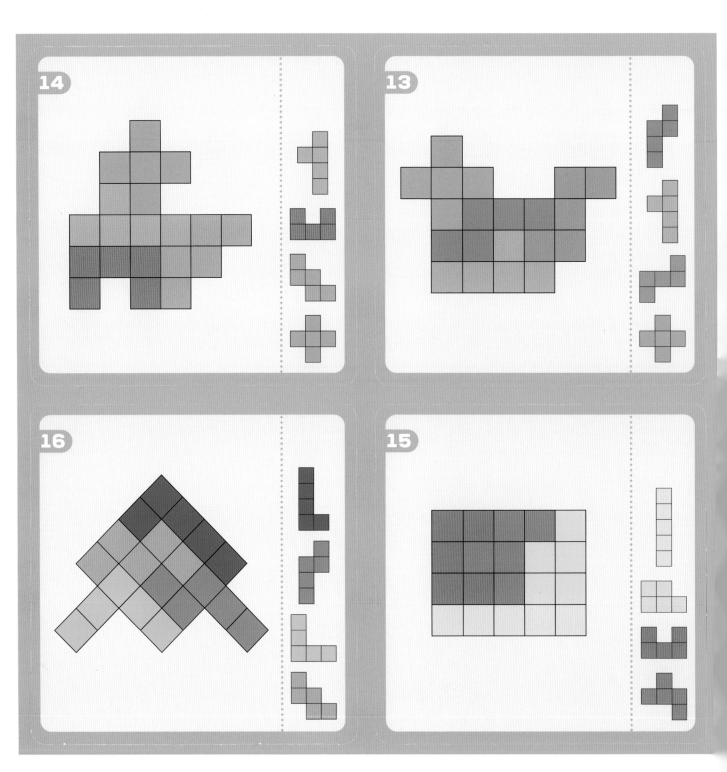

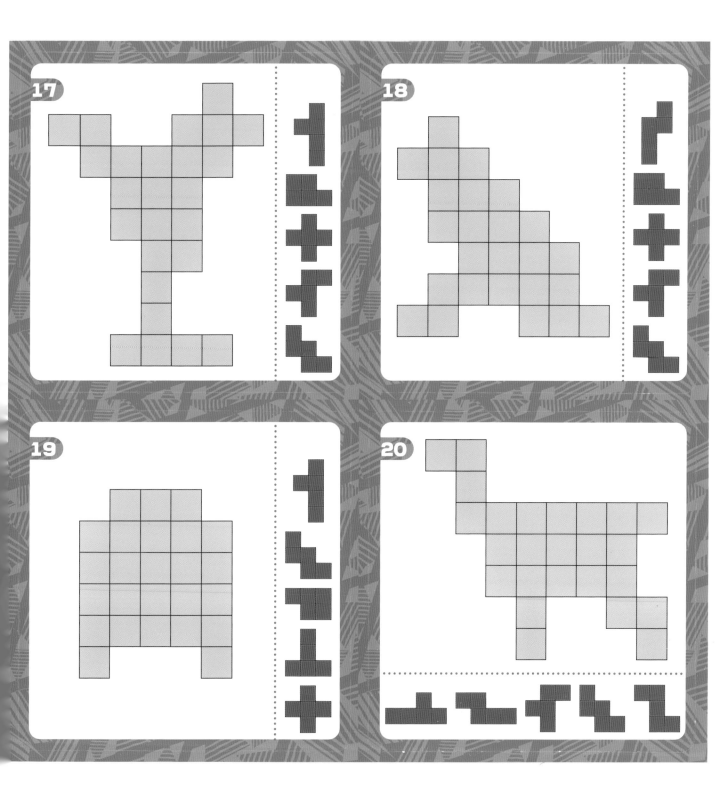

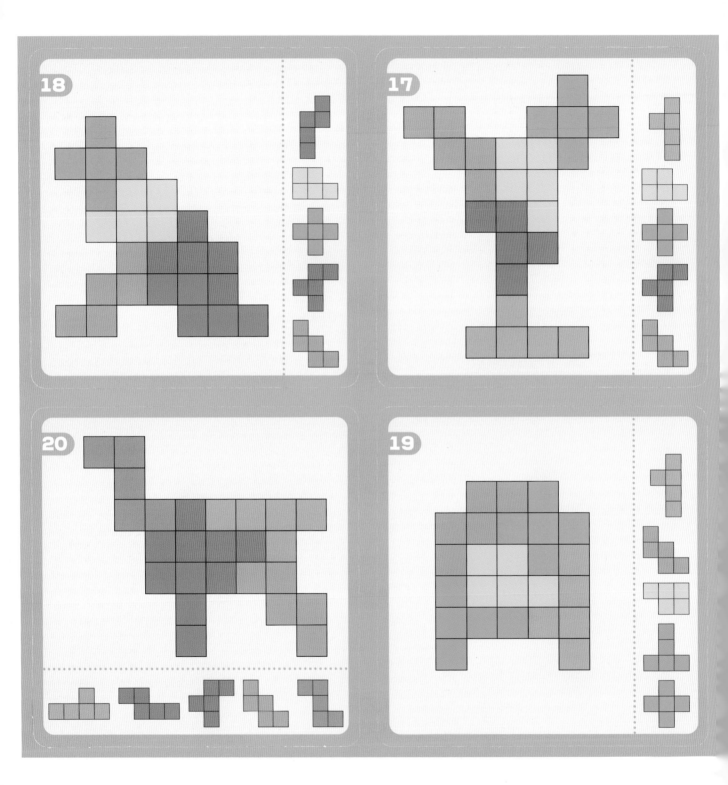

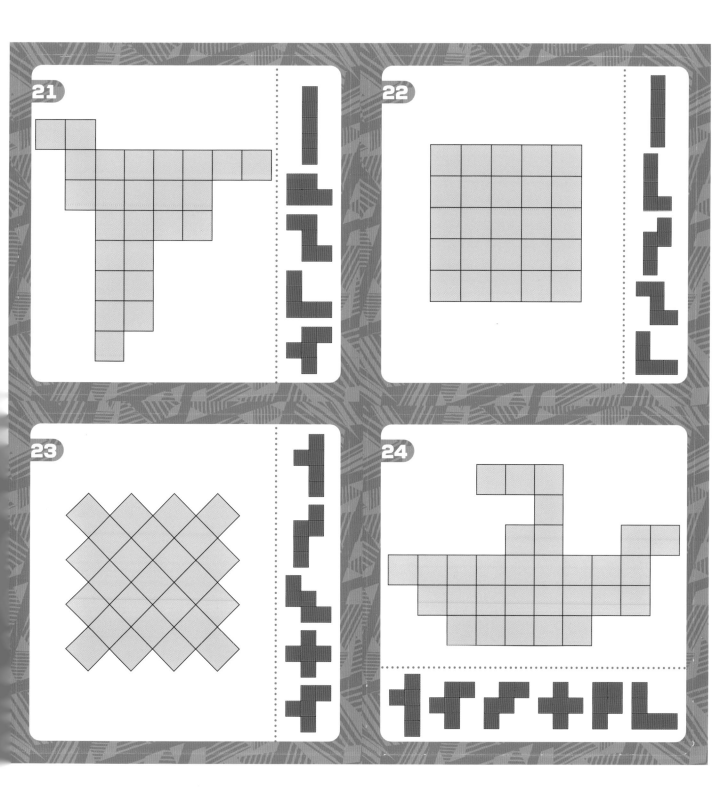

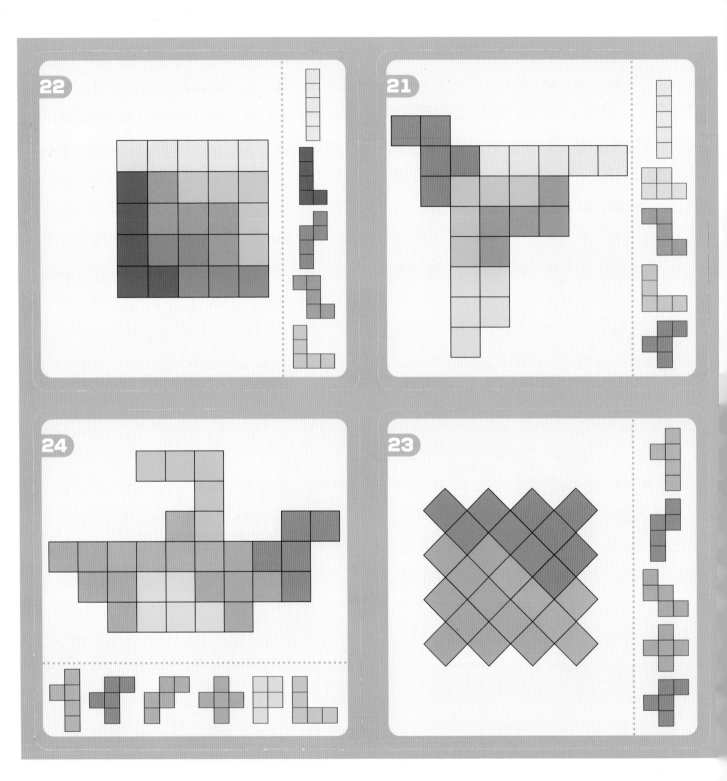

평면 공간감각을 길러주는 회전 펜토미노 퍼즐

펜토미노턴

초등학생들이 어려워하는 '평면도형의 이동'을 펜토미노와 패턴블록으로 도형을 직접 돌려보며 재미있게 해결하는 공간감각 퍼즐입니다.

입체 공간감각을 길러주는 멀티큐브 퍼즐

  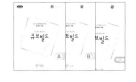

큐브빌드

머릿속으로 그리기 어려운 입체도형을 쌓기나무와 멀티큐브를 이용하여 직접 만들어 위, 앞, 옆 모양을 관찰하고, 다양한 입체 모양을 만드는 공간감각 퍼즐입니다.

도형감각을 길러주는 입체 칠교 퍼즐

폴리탄

정사각형을 7조각으로 자른 '입체 칠교'와 직각이등변삼각형을 붙인 '입체 볼로'를 활용하여 평면뿐만 아니라 다양한 입체도형 문제를 해결하는 퍼즐입니다.

수 감각을 길러주는 창의 연산 보드 게임

 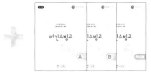

머긴스빙고

빙고 게임과 머긴스 게임을 활용하여 수 감각과 연산 능력을 끌어올리고 전략적 사고를 키우는 사고력 보드 게임입니다.

공간감각을 길러주는 입체 폴리오미노 보드 게임

폴리스퀘어

모노미노부터 펜토미노까지의 폴리오미노를 이용하여 다양한 모양을 만들어 보고, 공간을 차지하는 게임으로 공간감각을 키우는 공간 점령 보드 게임입니다.

I hear and I forget 듣기만 한 것은 잊어버리고

I see and I remember 본 것은 기억되지만

I do and I understand 직접 해 본 것은 이해가 된다

Poly Square

폴리스퀘어

펴낸곳: ㈜씨투엠에듀　　　**발행인:** 한헌조

이 책의 전부 또는 일부에 대한 무단전재와 무단복제를 금합니다.

모델명: 필즈엠_폴리스퀘어
제조년월: 2020년 2월
주소 및 전화번호: 경기도 수원시 장안구 파장로 7(태영빌딩 3층) / 031-548-1191
제조국명: 한국